¡Estamos en España!

¡Estamos en España!

A Survival Guide to Everyday Situations

John Grey Davies
Langley Park School for Boys, Beckenham
Illustrations by Val Saunders

Edward Arnold

First published 1981 by
Edward Arnold (Publishers) Ltd
41 Bedford Square, London WC1B 3DQ

British Library Cataloguing in Publication Data

Davies, John Grey
Estamos en España!
1. Spanish Language – Composition and exercises
I. Title
468′.2′421 PC4112

ISBN 0-7131-0502-X

Typeset by Preface Ltd, Salisbury, Wiltshire

Printed in Great Britain by
Thomson Litho Ltd, East Kilbride, Scotland

Contents

Acknowledgement

Following the success of the French book *Nous Sommes en France!* by P. G. Martin, this book adopts a similar approach and presentation for teaching Spanish. I wish to express my appreciation to Mr Martin for giving permission to adopt his ideas for this survival guide.

Introduction

This book presents nineteen situations likely to be encountered by a visitor to Spain. Its primary aim is to prepare students for the 'survival' situations which occur in many CSE examinations, but it will also be of use to pupils in the middle stages of preparing for 'O' level.

Each chapter has four sections:

A A conversation which explores the situation. The priority in the preparation of this section was to include as much material as possible which might help the student to function in a similar situation in real life. I have, wherever possible, limited the grammatical structures to those encountered at CSE level, presented them in a logical order, and consolidated structures from previous chapters by frequent repetition.
B A list of phrases in English. Pupils are asked to search in section A for their Spanish equivalents. These phrases are chosen for their usefulness from the point of view of situation or structure.
C The key language patterns introduced and consolidated in each chapter, presented in the form of blocks. There is also an extension of vocabulary here to enable pupils to progress to section D.
D Suggestions for follow-up work, which can be oral or written.

I should like to thank Miguel Bermejo Garrido, Elena García Martínez, and Urbano González Carvajal for their valuable advice; and my wife for her patient typing of the manuscript.

J G D

1 Meeting a friend of the same age

Encontrar a una amiga de la misma edad

A Dialogue

En la calle

Carmen: ¡Hola, Dolores! ¿Qué tal?
Dolores: ¡Carmen! ¡Hola! Bien gracias. ¿Cómo andas tú?
Carmen: Estupendo. ¿Cómo van las vacaciones?
Dolores: Ah, lo estoy pasando muy bien.
Carmen: Mira, voy a una fiesta en la discoteca esta noche. ¿Por qué no vas?
Dolores: ¿Va tu hermano?
Carmen: ¡Claro que sí! ¿Quieres ir?
Dolores: Pues sí. ¿Dónde nos vemos?
Carmen: Te veo en la esquina delante de la discoteca.
Dolores: Muy bien. ¿A qué hora?
Carmen: A las diez.
Dolores: De acuerdo. Hasta las diez entonces. Adiós.
Carmen: Hasta luego, Dolores. Vamos a pasarlo bien esta noche. Adiós.

B Pick out the Spanish for the following:

1 hello; how are things?; fine, thanks; see you later; goodbye
2 I'm having a great time
3 I'm going to a party
4 is your brother going?
5 where shall we see each other?
6 in front of the disco
7 at ten o'clock

C Patterns

voy vamos mi hermano va	a	una fiesta la discoteca un partido de fútbol
	al	parque cine

¿quieres ir	a la	fiesta? discoteca?
	al	cine? restaurante?

voy vamos	a	encontrar a mi hermano pasarlo bien estar en la esquina

a las	diez nueve once	de la noche

delante	del cine del banco de la discoteca

detrás	de la biblioteca de la plaza de toros del parque

enfrente	de la cafetería de la librería del ayuntamiento

cerca	de la estación de la playa del hospital

D Invent a conversation between Pedro and José. They arrange to meet opposite the town hall at nine o'clock.

2 Being introduced to a stranger

Encontrar a un desconocido

A Dialogue

Juan y Carlos salen de una cafetería.

Carlos: Vamos por allí, hay menos gente.
Juan: De acuerdo.
Señor: ¡Carlos! ¡Carlos Fernández! Buenos días.
Carlos: Ah, ¡señor García! Buenos días. ¿Cómo está usted?
Señor: Muy bien gracias. ¿Y cómo andas tú?
Carlos: Muy bien. Señor García, quiero presentarle a Juan, un amigo mío de Barcelona.
Señor: Me alegro mucho de conocerte, Juan.
Carlos: Este es el señor García, amigo de mi padre.
Juan: Mucho gusto, señor.
Señor: ¿Estás aquí en Madrid por mucho tiempo, Juan?
Juan: No, señor. Sólo una semana de vacaciones.
Señor: Y ¿qué te parece Madrid?
Juan: Me gusta muchísimo. Lo estoy pasando bien.
Señor: ¿Queréis tomar un café, o algo?
Carlos: Gracias, no. Acabamos de tomar un café, y ahora vamos al cine.
Señor: ¿Cómo va tu padre, Carlos?
Carlos: Está muy bien gracias. Bueno, tenemos que irnos. El cine comienza en cinco minutos.
Señor: Pues, encantado de conocerte, Juan, y mis saludos a tus padres, Carlos.
Juan: Gracias, y mucho gusto, señor.
Carlos: Adiós, señor García.

B Pick out the Spanish for the following:

1 three ways of saying 'pleased to meet you'
2 two ways of saying 'how are you?'
3 very well thanks
4 are you in Madrid for long?
5 do you want a coffee?
6 how's your father?
7 he's fine, thanks
8 we have to go
9 regards to your parents

C Patterns

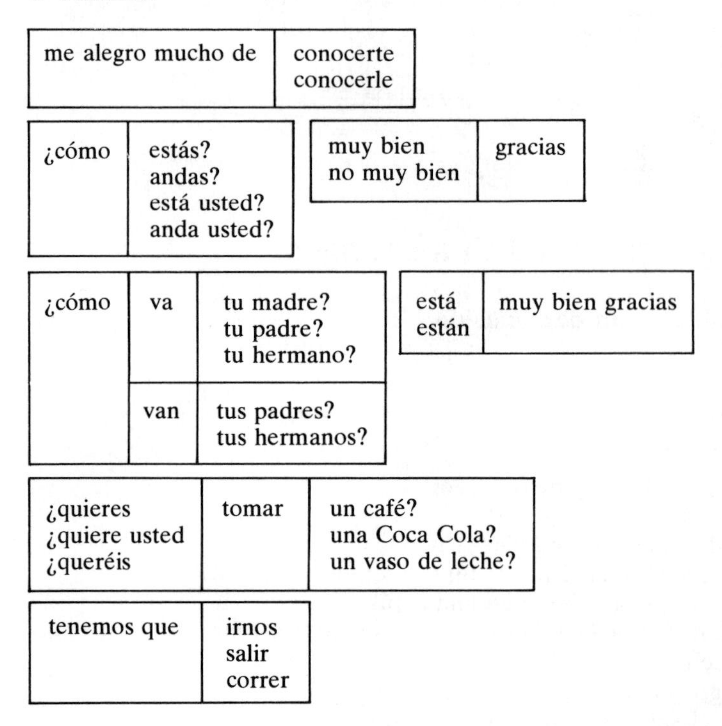

me alegro mucho de	conocerte conocerle

¿cómo	estás? andas? está usted? anda usted?

muy bien no muy bien	gracias

¿cómo	va	tu madre? tu padre? tu hermano?
	van	tus padres? tus hermanos?

está están	muy bien gracias

¿quieres ¿quiere usted ¿queréis	tomar	un café? una Coca Cola? un vaso de leche?

tenemos que	irnos salir correr

D Pedro and Fernando are going to a football match. They meet Señor Pérez, a friend of Pedro's father. Invent a conversation in which Fernando and Señor Pérez are introduced to each other.

3 Going up to a stranger to ask the way

Acercarse a un desconocido para preguntarle el camino

A Dialogue

En la calle

Pedro: Perdóneme, señor.
Señor: Sí, señor, ¿qué desea usted?
Pedro: Bueno, no soy de aquí y no conozco la ciudad. ¿Puede usted decirme dónde está el Cine Colón?
Señor: Pues, ¡anda usted en la dirección equivocada!
Pedro: ¡Ay, qué fastidio!
Señor: Mire, aquí estamos en la Calle de Moncada. Hay que volver por esta misma calle hasta el ayuntamiento.
Pedro: ¿El ayuntamiento?
Señor: Sí, un edificio muy grande. Está a unos trescientos metros de aquí a la derecha.
Pedro: Muy bien.
Señor: Enfrente del ayuntamiento se encuentra la Calle de Castilla. Hay que ir por esa calle y tomar la tercera calle a la izquierda.
Pedro: ¿Cómo se llama esa calle?
Señor: Se llama la Calle de Lope de Vega.
Pedro: Muy bien – volver al ayuntamiento, seguir por la calle enfrente, y luego tomar la tercera calle a la izquierda.
Señor: Eso es. Hay que continuar todo derecho por esa calle, y luego hay que cruzar la Plaza de Cervantes. El cine está en la esquina a la derecha.
Pedro: ¿Está lejos?

Señor:	No, no está muy lejos – veinte minutos andando, nada más.
Pedro:	Tengo prisa. ¿Hay un autobús que vaya allí?
Señor:	Sí, el número siete pasa delante del cine y la parada está aquí delante del Bar Toledo.
Pedro:	¿Cuándo pasa el próximo autobús?
Señor:	Dentro de unos veinte minutos.
Pedro:	Entonces, voy andando. Muchísimas gracias, señor. Adiós.
Señor:	No hay de qué. Adiós y buena suerte.

B Pick out the Spanish for the following:

1 excuse me, sir
2 what can I do for you?
3 I don't know the town
4 where is the Colón cinema
5 in the wrong direction
6 it's about three hundred yards from here
7 on the right; on the left; straight on
8 take the third street
9 is it far?
10 twenty minutes by foot
11 is there a bus which goes there?
12 when does the next bus pass?

C Patterns

no conozco no conocemos	la ciudad el pueblo Madrid Londres

¿dónde	se encuentra está	el Cine Colón? el ayuntamiento? el parque municipal?

hay que	volver por esta calle ir por esa calle tomar la tercera calle a la derecha tomar la segunda calle a la izquierda seguir todo derecho cruzar la plaza

la	primera segunda tercera cuarta	calle

está a	unos cincuenta metros unos trescientos metros un kilómetro	de aquí del cine de la Plaza Cervantes

¿hay un autobús que vaya	al cine? al parque? al ayuntamiento? a la piscina? a la plaza de toros?

D You are lost in a strange town in Spain and you approach a passer-by to ask the way to the railway station. You have a train to catch. The stranger tells you how to get there on foot, but it's a long way, so you ask him about buses.

4 Shopping

Hacer la compra

A Dialogue

Concha y su amiga Mercedes están en el mercado

Mercedes: ¡Cuánta gente! ¿Qué vamos a comprar primero?
Concha: Voy a consultar la lista. Sí, necesitamos fruta y legumbres.
Mercedes: Mira, aquí hay una frutería.
Frutero: Hola, señoritas. ¿Qué desean ustedes?
Concha: Patatas, por favor.
Frutero: ¿Cuántas quiere?
Concha: Deme un kilo.
Frutero: Muy bien. Un kilo de patatas, señorita – son treinta pesetas.
Concha: Gracias. Y ¿cómo están las lechugas?
Frutero: Están muy buenas. Están fresquísimas.
Concha: ¿Cuánto valen?
Frutero: Son veinte pesetas cada una.
Concha: ¡Son muy caras! ¡Una nada más! Mercedes, ¿qué fruta vamos a comprar?
Mercedes: ¿Qué tal están las uvas?
Frutero: Están deliciosas. Miren, prueben algunas, señoritas. ¿Les gustan?
Mercedes: Ah sí, son muy dulces. Me gustan mucho estas uvas.
Concha: Sí, a mí me gustan también. Deme medio kilo, entonces.
Frutero: Sí, señorita. ¿Algo más?
Concha: Sí, deseo un melón maduro.

Frutero: ¿Este?
Concha: ¿A ver? Sí, me parece bien.
Frutero: Entonces, en total son noventa y cinco pesetas.
Concha: Tenga un billete de cien.
Frutero: Y un duro de vuelta. Muchas gracias, señorita. Adiós.
Concha: Adiós.
Mercedes: ¿Qué otra cosa hay en la lista?
Concha: Leche y queso. Vamos a buscar una lechería.
Mercedes: Mira, allí hay una en la esquina.

Entran en la lechería

Lechero: Buenos días, señoritas.
Concha: Buenos días. Un litro de leche, por favor.
Lechero: Muy bien, señorita. Son treinta y siete pesetas.
Concha: Y ¿qué queso tiene usted?
Lechero: Tengo un queso muy bueno de la región. Es de oveja.
Mercedes: ¿De oveja? ¡Qué bien! Vamos a probarlo.
Concha: De acuerdo. Deme cien gramos.
Lechero: Bueno, en total son noventa y cinco pesetas.
Concha: Tenga cien pesetas.
Lechero: Y las cinco pesetas de vuelta. Gracias, señoritas. Adiós.
Mercedes: Adiós.
Concha: Adiós, y ahora vamos a casa.

B Pick out the Spanish for the following:

1 what are we going to buy first?
2 here is a greengrocer's
3 what would you like?
4 how much do you want?
5 give me a kilo
6 what are the lettuces like?
7 how much are they?
8 they're 20 pesetas each
9 I like those grapes very much
10 give me half a kilo
11 anything else?
12 let's see
13 that's 95 pesetas in all
14 I want a litre of milk
15 give me 100 grammes
16 5 pesetas change

C Patterns

aquí allí	hay	una frutería una lechería un estanco un mercado

¿cómo	están	las lechugas? las uvas?
	está	el melón? el queso?

voy vas va vamos vais van	a	comprar fruta probar las uvas buscar una lechería hacer la compra

me te le	gusta	el melón el queso la leche
nos os les	gustan	las uvas las patatas

¿cuánto	vale	el melón? el queso?
	valen	las patatas? las lechugas?

son	cinco quince cien	pesetas	el kilo el litro cada uno cada una

deme quiero necesito deseo	cien gramos de queso dos kilos de patatas un litro de leche una caja de cerillas

1 en la panadería se puede comprar	pan unos panecillos unas galletas
2 en la carnicería se puede comprar	carne de res carne de oveja unas salchichas unas chuletas
3 en la frutería se puede comprar	patatas judías verdes tomates lechugas naranjas uvas melones manzanas
4 en la pescadería se puede comprar	sardinas merluza calamares gambas
5 en la confitería se puede comprar	bonbones caramelos pasteles

6 en la tienda de ultramarinos se puede comprar

huevos
harina
azúcar
café
sal
aceite
vino

7 en la farmacia se puede comprar

aspirina
medicinas

8 en la perfumería se puede comprar

pasta de dientes
perfume
jabón

9 en el estanco se puede comprar

sellos
tabaco
cigarrillos
una caja de cerillas
postales

10 en la librería se puede comprar

libros
revistas
papel para cartas
sobres

11 en la tienda de confecciones se puede comprar

una camisa
una corbata
una blusa
un sombrero
un pantalón
una falda
unas medias
un impermeable
un par de calcetines
un par de guantes

D Señora de Martínez is doing her morning's shopping and visits the butcher, the baker, and the grocer. Invent a conversation with each.

5 Travelling by train

Viajar en tren

A Dialogue

El señor Pérez entra en la agencia de RENFE.

Empleado:	Buenos días, señor. ¿Qué desea usted?
Señor Pérez:	Quiero ir a Madrid el sábado que viene, el tres de agosto.
Empleado:	Sí, señor. Hay tres expresos que salen el sábado – a las ocho de la mañana, a la una de la tarde y a las diez de la noche.
Señor Pérez:	Prefiero viajar de noche – hace menos calor. ¿Hay literas en ese tren?
Empleado:	Sí, pero me parece que todas están reservadas. Un momento, voy a mirar . . . No, no queda ninguna.
Señor Pérez:	No importa, entonces.
Empleado:	¿Quiere usted un billete de ida y vuelta, o un billete sencillo?
Señor Pérez:	Sencillo.
Empleado:	¿Y de qué clase?
Señor Pérez:	Segunda, por favor.
Empleado:	¿Fuma usted?
Señor Pérez:	No, no fumo.
Empleado:	Entonces le voy a reservar un asiento en un departamento de no fumadores al lado de la ventanilla. ¿Está bien?
Señor Pérez:	Perfecto.
Empleado:	Mil doscientas pesetas, entonces, señor.

Señor Pérez: Tenga. Y ¿a qué hora llega el tren a Madrid?

Empleado: A las siete de la mañana.

Señor Pérez: ¿Hay que hacer algún transbordo?

Empleado: No, señor, es directo. Aquí está su billete con la reserva.

Señor Pérez: Muchas gracias. Adiós, señor.

Empleado: Adiós, señor. Buen viaje.

El sábado siguiente en la estación. El señor Pérez baja de un taxi con dos maletas grandes. Un mozo de estación espera.

Señor Pérez: Mozo, ¿de qué andén sale el tren para Madrid?

Mozo: Sale del andén número cuatro dentro de quince minutos, señor.

Señor Pérez: Puede usted llevarme las maletas, por favor.

Mozo: Claro, señor ¿Quiere comprar revistas o libros? Aquí hay un quiosco.

Señor Pérez: No gracias, ya tengo todo.

Mozo: ¿Tiene una reserva?

Señor Pérez: Si, aquí está.

Mozo: ¿A ver? Sí, está al final del tren. Por aquí, señor.

Señor Pérez: Gracias.

A los pocos minutos

Mozo: Aquí, señor, en este departamento. Su asiento está cerca de la ventanilla. ¿Está bien?

Señor Pérez: Sí, está muy bien. Tenga, para usted.

Mozo: Muchas gracias, señor. Buen viaje.

B Pick out the Spanish for the following:

1 what can I do for you?
2 next Saturday, August the third
3 at eight in the morning
4 I prefer travelling at night
5 are there any couchettes on that train?
6 there aren't any left
7 it doesn't matter
8 a return ticket
9 a non-smoking compartment
10 next to the window
11 do I have to change trains?
12 which platform does the Madrid train leave from?
13 can you carry my bags, please
14 do you have a reservation?

C Patterns

el tren	sale llega	a las	ocho de la mañana tres y media de la tarde diez y cuarto de la noche cuatro menos cuarto de la madrugada

el sábado el lunes la semana	que viene

el	tres uno veintitrés	de	agosto setiembre diciembre

prefiero viajar	de noche de día

no queda	ninguno ningún asiento ninguna litera ningún billete

un billete	de ida y vuelta sencillo

¿puede usted	llevarme las maletas? buscar mi asiento? decirme de qué andén sale el tren?

un departamento	de primera clase de segunda clase para fumadores para no fumadores

sale del está en el llega al	andén número	uno dos tres

D(1) A young lady is booking a train journey to Barcelona from Madrid. Write the conversation between her and the clerk in the booking office.

(2) She arrives at the station with lots of luggage. Write the conversation between her and a porter as they try to find her seat.

6 At the Tourist Information Office

En la Oficina de Información y Turismo

A Dialogue

El señor Gómez entra en la oficina con su maleta.

Señorita:	Buenos días, señor. ¿Qué desea usted?
Señor Gómez:	Buenos días, señorita. No soy de aquí y quisiera información sobre la ciudad.
Señorita:	Cómo no, señor. Aquí hay un folleto para usted, con un plano de la ciudad.
Señor Gómez:	Muchas gracias.
Señorita:	La Oficina de Información y Turismo está indicada con esta estrella roja – aquí en la Plaza Mayor.
Señor Gómez:	Sí, la veo.
Señorita:	¿Le interesan los monumentos antiguos?
Señor Gómez:	Bueno, sí.
Señorita:	Pues aquí tenemos muchos – la catedral, el alcázar, el monasterio de San Gil, las murallas. Son todos muy interesantes.
Señor Gómez:	Gracias, pero . . .
Señorita:	¿Le interesa el flamenco?
Señor Gómez:	Sí, me interesa bastante.
Señorita:	Pues en el Club Andaluz hay un espectáculo de flamenco auténtico. Bailan y cantan muy bien. Vale la pena verlo.
Señor Gómez:	Gracias, señorita. Pero mire, para mí lo más importante es que estoy buscando un hotel barato o una pensión.

Señorita:	¡Pues estamos en verano! Hay muchos turistas y por eso quedan muy pocas habitaciones libres.
Señor Gómez:	¡Qué problema! ¿Tiene usted una lista de hoteles?
Señorita:	Sí, aquí hay una lista con todas las direcciones, los precios, y números telefónicos.
Señor Gómez:	¿Hay un teléfono por aquí?
Señorita:	Sí, hay una cabina telefónica al lado de esta oficina.
Señor Gómez:	Gracias, señorita. Estoy muy agradecido.
Señorita:	No hay de qué, señor. Buena suerte. Adiós.
Señor Gómez:	Adiós.

En la cabina telefónica, el señor Gómez pone su dinero en la ranura y marca el número.

Voz:	Dígame.
Señor Gómez:	¿Es el treinta y siete – veinticuatro – cincuenta y dos?
Voz:	Sí
Señor Gómez:	¿Es la Pensión Miramar?
Voz:	Sí, señor.
Señor Gómez:	¿Tiene usted una habitación para una persona para esta noche?
Voz:	Un momento, señor . . . Sí, queda una habitación.
Señor Gómez:	¡Menos mal! Voy en seguida en taxi. Me llamo Luis Gómez.
Voz:	De acuerdo, señor Gómez. Le reservamos la habitación. Hasta luego.
Señor Gómez:	Adiós. Hasta luego.

B Pick out the Spanish for the following:

1 I would like some information about the town
2 are you interested in ancient monuments?
3 it's worth seeing
4 the most important thing
5 it's summer
6 there are very few empty rooms left
7 what a nuisance!
8 is there a telephone here?
9 I'm very grateful
10 you're welcome
11 do you have a single room for tonight?
12 there's one room left
13 what a relief!

C Patterns

¿le	interesa	el fútbol? el flamenco?
	interesan	los monumentos antiguos? los toros?

sí, me	interesa interesan	mucho

vale la pena	verlo ir comprarlo

estoy estamos	buscando	un hotel una pensión la Oficina de Información y Turismo

estamos en	verano otoño invierno primavera

¿hay	un teléfono un estanco un quiosco una librería	por aquí?

¿tiene usted una habitación para	una persona dos personas un matrimonio	para	esta una	noche?
			dos tres	noches?

queda	una	habitación
quedan	dos tres	habitaciones

no queda ninguna habitación

D(1) Invent a dialogue in which a visitor to a town enquires at a tourist office. He asks for a list of suitable hotels, and also asks about bullfighting.

(2) Invent a dialogue in which the visitor telephones a hotel asking for a room for the night.

7 At an inexpensive hotel

En una pensión

A Dialogue

El señor López y su señora llegan a la Pensión Toledo.

Dueño:	Buenos días, señores. ¿En qué puedo servirles?
Señor López:	Buenos días, señor. Llamé por teléfono la semana pasada para reservar una habitación para mí y mi señora.
Dueño:	¿Cómo se llama usted por favor?
Señor López:	Me llamo Pablo López.
Dueño:	Ah sí, señor López, todo está arreglado. ¿Cuánto tiempo quieren ustedes quedarse aquí?
Señor López:	Cuatro noches solamente.
Dueño:	Está bien. Su habitación está por aquí en el primer piso. ¿Quieren seguirme, señores?
Señora de López:	Gracias.
Dueño:	Aquí está al final del pasillo. La habitación da a la calle, pero es bastante tranquila. La calle tiene poco tránsito.
Señora de López:	¿Cuánto vale?
Dueño:	El precio está indicado en la puerta – son mil pesetas la noche.
Señora de López:	Está bien. Es una habitación bonita.
Dueño:	Hay agua fría y caliente en la habitación, y hay un servico y una ducha en el pasillo.

Señor López:	Perfecto. Nuestras maletas están en el coche todavía. ¿Hay un lugar donde podemos estacionarlo?
Dueño:	Lo siento, señor. Tiene usted que dejar el coche en la calle. Por lo general hay sitio allí.
Señor López:	Entonces, voy a traer las maletas.
Dueño:	Aquí están sus llaves – una para la habitación y la otra para la puerta principal.
Señora de López:	Gracias. ¿Se puede desayunar aquí?
Dueño:	No, señora, pero hay una cafetería enfrente donde se puede desayunar, y hay un restaurante en la esquina donde se puede almorzar y cenar. Es bastante barato, y muy bueno.
Señora de López:	Muchas gracias, señor.

B Pick out the Spanish for the following:

1 I telephoned last week
2 to reserve a room for my wife and me
3 what's your name?
4 my name is Pablo López
5 it's all arranged
6 how long do you wish to stay here?
7 your room is this way on the first floor
8 the room overlooks the street
9 there's hot and cold water
10 is there a place where we can park?
11 there's usually room there
12 I'm going to fetch the cases
13 here are your keys
14 can we have breakfast here?

C Patterns

llamé llamamos	por teléfono	la semana pasada el mes pasado el domingo pasado ayer

para reservar una habitación	para mí y mi mujer para dos personas con dos camas

una habitación	tranquila donde hay poco ruido de tránsito bonita

la habitación da	a la calle al patio al mar	en el	primer segundo tercer	piso

se puede	desayunar comer almorzar tomar un café cenar	en la cafetería en el bar en el restaurante

D Invent a conversation in which a family of four arrive to stay for a week in a hotel. They enquire about meals.

8 In a restaurant

En un restaurante

A Dialogue

El señor Gómez, su mujer y dos hijos Pedro y Mercedes llegan a un restaurante. Se acerca un camarero.

Camarero:	Buenas tardes, señores.
Señor Gómez:	Buenas tardes. Nos gustaría cenar, por favor. Somos cuatro.
Camarero:	Sí, cómo no, señor. ¿Prefieren una mesa en el restaurante o en la terraza?
Señora de Gómez:	Hace mucho calor, vamos a la terraza.
Camarero:	Entonces por aquí, por favor . . . Siéntense, señores.
Todos:	Muchas gracias.
Camarero:	Aquí está el menú. En seguida vuelvo.

Después de un rato

Camarero:	Sí, señores. ¿Qué les gustaría tomar?
Señor Gómez:	Nos gustaría el menú turístico de trescientas pesetas.
Camarero:	Sí, señor. ¿Para empezar?
Señor Gómez:	Mi hijo y yo vamos a tomar gazpacho; mi mujer y mi hija van a tomar una tortilla española.
Camarero:	De acuerdo. Y ¿qué quieren para el segundo plato? Les voy a recomendar el lomo de cerdo – está exquisito.
Señor Gómez:	¿Si? Entonces lomo de cerdo para mí y mi mujer y bistec para mis hijos.

Camarero: ¿Y acompañando, señor?
Señor Gómez: Patatas fritas para todos, con una ensalada.
Camarero: Muy bien. ¿Y de postre?
Pedro: Un helado para mí, por favor.
Mercedes: Y para mí también.
Camarero: Tenemos helados de vainilla, chocolate, café, fresa, y limón.
Señor Gómez: Dos helados de chocolate, y dos flanes por favor.
Camarero: ¿Y algo para beber?
Señor Gómez: Medio litro de vino tinto para mí y mi mujer, y dos vasos de gaseosa para mis hijos.
Camarero: En seguida, señores.

El camarero se va y vuelve poco después con las bebidas, y los platos.

Camarero: Aquí tienen, señores.
Todos: Gracias.

Después de la comida

Camarero: ¿Van ustedes a tomar café?
Señor Gómez: Sí, un café cortado para mi mujer y un café solo para mí
Camarero: Sí, señor.
Señor Gómez: Y luego traiga la cuenta por favor. ¿El servicio está incluído?
Camarero: No, señor.

El camarero se va.

Señora de Gómez: ¿Es muy amable, verdad? Tenemos que darle una buena propina.
Señor Gómez: Sí, cómo no.

B Pick out the Spanish for the following:

1 we would like to have dinner, please
2 there are four of us
3 do you prefer a table inside the restaurant or on the terrace?
4 sit down, ladies and gentlemen
5 here is the menu
6 we would like the tourist menu
7 to start with?
8 and what do you want for the main course?
9 for dessert?
10 and something to drink?
11 as soon as possible
12 bring the bill please
13 is the service included?

C Patterns

me nos	gustaría	cenar almorzar desayunar el menú turístico	por favor

somos	dos cuatro seis

una mesa	en la terraza en el jardín cerca de la ventana en el rincón

voy va vamos van	a	tomar	la sopa del día gazpacho una tortilla una ensalada
		recomendar	el lomo de cerdo la paella valenciana el pollo asado los calamares en su tinta

un litro medio litro un vaso una botella	de	vino tinto vino blanco gaseosa zumo de tomate

D A family, consisting of mother, father and one child, arrives at a restaurant at lunchtime. The mother asks for a table for three and orders a meal. Invent the conversation between them and the waiter.

9 In a café

En una cafetería

A Dialogue

Carlos y su amigo Manuel están en la calle

Carlos: Manuel, ¿qué hora es?
Manuel: Son las doce menos diez. Tengo mucho calor – no puedo andar más.
Carlos: Yo tengo mucha sed. Vamos a tomar algo en esta cafetería.
Manuel: Sí, yo también tengo mucha sed. Vamos a sentarnos en la terraza. Hace más fresco allí.
Carlos: Muy bien.

Se sientan en una mesa. Se acerca el camarero.

Carlos: ¿Qué vas a tomar, Manuel?
Manuel: Voy a tomar una Coca Cola bien fría.
Carlos: Camarero, traiga dos Coca Colas, ¡pero bien frías, eh!
Camarero: Sí, señor.
Carlos: Oye Manuel. ¿Tienes hambre?
Manuel: Sí, tengo bastante.
Carlos: ¿Vamos a tomar algunas tapas?
Manuel: De acuerdo.
Carlos: Camarero, ¿qué tapas tiene?
Camarero: Bueno, tenemos gambas, mejillones, sardinas, calamares en su tinta, aceitunas, tortilla española, chorizo, patatas fritas, jamón . . . .
Carlos: Vale, vale ya. Manuel, ¿qué vas a tomar?

Manuel: Bueno, voy a tomar un poco de jamón con patatas fritas.
Carlos: Entonces, camarero, traiga una ración de jamón, una ración de patatas fritas, una de aceitunas y una de sardinas.
Camarero: En seguida, señor.

Media hora más tarde

Carlos: Camarero, ¿nos trae la cuenta por favor?
Camarero: Ahora mismo, señor. En total, ciento ochenta pesetas.
Carlos: Tenga, doscientas pesetas. Quédese con la vuelta.
Camarero: Muchas gracias señores. ¡Adiós!
Carlos y Manuel: ¡Adiós!

B Pick out the Spanish for the following:

1 what time is it?
2 it's ten to twelve
3 I'm very hot
4 let's have a drink
5 what will you have?
6 are you hungry?
7 I'll have some ham
8 a portion of ham
9 a portion of chips
10 half an hour later
11 bring the bill please
12 keep the change

C Patterns

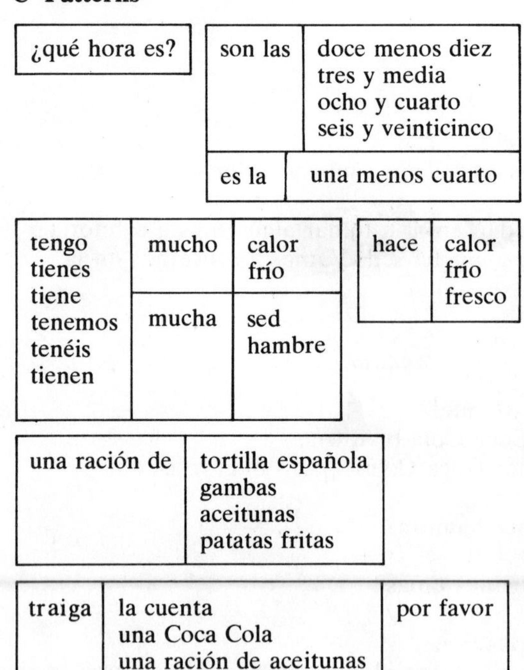

¿qué hora es?

son las	doce menos diez tres y media ocho y cuarto seis y veinticinco
es la	una menos cuarto

tengo tienes tiene tenemos tenéis tienen	mucho	calor frío
	mucha	sed hambre

hace	calor frío fresco

una ración de	tortilla española gambas aceitunas patatas fritas

traiga	la cuenta una Coca Cola una ración de aceitunas	por favor

D Three friends go into a café at around midday. Invent a conversation in which they order drinks and some *tapas* and then pay for them.

10 In a travel agency

En la agencia de viajes

A Dialogue

Beatriz y Laura, dos amigas de Galicia, están pasando unos días en Madrid. Entran en una agencia de viajes.

Empleado: Buenos días, señoritas. ¿En qué puedo servirlas?

Beatriz: Buenos días. Estamos pasando unos días en Madrid y nos gustaría ver un poco de los alrededores. ¿Tienen ustedes excursiones en autocar?

Empleado: Pues sí, señorita, ofrecemos muchas. Les gustaría una excursión de día entero o de medio día.

Laura: Bueno – no sé. ¿Qué tienen de medio día?

Empleado: Pues, hay una excursión de medio día, por ejemplo, que va al Monasterio de El Escorial y luego al Valle de los Caídos. Son dos monumentos muy interesantes y no están lejos.

Beatriz: ¿A qué hora sale el autocar?

Empleado: Sale a las nueve de la mañana y vuelve a Madrid antes de las dos. Así ustedes pasarán una hora y media en El Escorial y una hora en el Valle de los Caídos.

Laura: Y ¿cuál es el precio?

Empleado: Seiscientas pesetas la persona, incluyendo las entradas a los monumentos.

Beatriz: Y ¿cuáles son las excursiones que duran el día entero?

Empleado: Bueno, hay excursiones a Segovia, Avila, Salamanca, Toledo . . .

Laura:	¿Toledo? Dígame algo sobre la excursión a Toledo.
Empleado:	Vamos a ver . . . el autocar sale a las nueve, llega a Toledo a las once, y ustedes tendrán la oportunidad de ver todos los monumentos importantes de la ciudad. Habrá un guía que les explicará todo.
Beatriz:	Y ¿cuál es el precio?
Empleado:	Esta excursión cuesta mil doscientas pesetas la persona, pero incluye el precio del almuerzo en un restaurante y también las entradas a los monumentos.
Laura:	¿Y hay plazas en la excursión de mañana?
Empleado:	Un momento, voy a ver . . . Sí, hay varias.
Beatriz:	Entonces, haga el favor de reservar dos plazas en la excursión a Toledo para mañana.
Empleado:	Pues, son dos mil cuatrocientas pesetas, señoritas. El autocar sale a las nueve en punto de esta calle enfrente de la agencia. Aquí están sus billetes.
Laura:	Muchas gracias.
Empleado:	De nada. Adiós y buen viaje
Beatriz:	Adiós, señor, y gracias.

B Pick out the Spanish for the following:

1 they are spending some days in Madrid
2 we would like to see a little of the surroundings
3 a day trip
4 I don't know
5 for example
6 they're not far
7 what time does the coach go?
8 it returns before two o'clock
9 you will spend one and a half hours in El Escorial
10 how much is it?
11 including admission to the monuments
12 there will be a guide
13 are there places on tomorrow's trip?
14 the coach leaves at nine o'clock precisely

C Patterns

estoy está estamos están	pasando	un día unos días una semana quince días	en	Madrid Toledo Valencia

me te le nos os les	gustaría	ver la ciudad hacer una excursión pedir información comprar dos plazas en el autocar

el autocar la excursión	sale vuelve	a	la una y media las tres y cuarto	en punto
		antes de	la una menos cuarto las cinco y veinte	

pasaremos ustedes pasarán	una hora una hora y media	en Toledo

incluyendo	las entradas a los monumentos el precio del almuerzo los servicios de un guía

D Two friends wish to book a day trip to Segovia. Invent the conversation between them and the travel agent.

11 At a campsite

En un camping

A Dialogue

El señor Johnson, que viene de Inglaterra, llega con su mujer y dos hijos a una ciudad española después de un largo viaje. Para el coche delante de la Oficina de Información y Turismo.

Empleada:	Buenos días, señor.
Señor Johnson:	Buenos días, señorita. Acabamos de llegar de Inglaterra y estamos buscando un buen camping cerca de la playa.
Empleada:	Hay varios, pero el mejor está a unos tres kilómetros de la ciudad. Está muy cerca de la playa.
Señor Johnson:	Muy bien. ¿Podría usted decirme dónde está?
Empleada:	Sí, cómo no. Hay que tomar la carretera que va a Barcelona. Es la carretera principal.
Señor Johnson:	Sí, entiendo.
Empleada:	A los dos kilómetros hay un cruce. Allí hay que doblar a la izquierda. El camping está al final de esa carretera, a un kilómetro del cruce.
Señor Johnson:	¿Cómo se llama el camping?
Empleada:	Ah sí, se llama el Camping Mediterráneo. Hay muchos avisos en el camino.
Señor Johnson:	Gracias, señorita. Adiós.
Empleada:	Adiós, señor.

Después de media hora, la familia llega al camping. El señor Johnson entra en la oficina.

Dueño: Buenos días, señor.
Señor Johnson: Buenos días, señor. Nos gustaría pasar algunos días en el camping.
Dueño: ¿Tiene usted una tienda de campaña o un remolque?
Señor Johnson: Una tienda, y somos cuatro personas.
Dueño: ¿Ha reservado usted plaza?
Señor Johnson: No, no hemos reservado.
Dueño: ¿Cuánto tiempo quieren ustedes quedarse aquí?
Señor Johnson: No sé. Depende, pero por lo menos cinco días, quizás más.
Dueño: Muy bien. No hay problema, hay bastante sitio. ¿Tiene usted los pasaportes por favor?
Señor Johnson: Sí, aquí están, y el carné de camping también.
Dueño: Gracias.
Señor Johnson: ¿Dónde podemos montar la tienda?
Dueño: Voy a indicarles el mejor sitio ahora mismo.

Salen de la oficina. A los cinco minutos:

Dueño: Este es el mejor sitio. Hay mucha sombra.
Señor Johnson: Sí, me parece bueno. ¿Dónde están los servicios?
Dueño: Están a cincuenta metros por allí a la izquierda. Hay retretes, duchas, y agua potable.
Señora de Johnson: ¿Hay una tienda?
Dueño: Sí, está abierta desde las siete de la mañana hasta las nueve de la noche. Allí se vende de todo.
Señora de Johnson: ¿Y un restaurante?
Dueño: Sí, hay un buen restaurante que está abierto hasta muy tarde. El restaurante y la tienda están cerca de la oficina.
Señor Johnson: Bueno, muchas gracias.
Dueño: ¡Ah! una cosa más, señor. Aquí está prohibido hacer ruido después de las diez y media de la noche.
Señor Johnson: De acuerdo. Adiós.
Dueño: Adiós, señor.

B Pick out the Spanish for the following:

1 we have just arrived from England
2 near the beach
3 the best one
4 at about three kilometres from the town
5 could you tell me?
6 in the direction of Barcelona
7 after two kilometres there's a crossroads
8 we would like to spend a few days on the site
9 have you reserved a place?
10 at least five days
11 where can we put up the tent?
12 here's the best place

13 fifty metres down there on the left
14 from seven in the morning until nine at night
15 they sell everything there
16 it is forbidden to make a noise after ten thirty at night

C Patterns

cerca	del mar de la playa del río de las montañas

acabo acabamos	de	llegar ver el mar montar la tienda

a los	dos kilómetros cuatro kilómetros cien metros	hay	un cruce un paso a nivel un puente un pueblo

he ha hemos han	reservado llegado después del viaje comido en el restaurante

desde	la una las dos y media las tres menos diez	hasta	las cuatro las cinco y cuarto las seis menos cuarto

después de antes de	la una y cuarto las doce y media las tres y veinticinco

está prohibido	hacer ruido después de las diez y media tirar papeles entrar bañarse

D(1) Invent a conversation between a tourist and the lady in a tourist information office. He's looking for a campsite in the mountains with a good view.

(2) Invent a conversation between the owner of the site and the tourist.

12 Changing money in a bank

Cambiar dinero en un banco

A Dialogue

El señor Brown entra en un banco. Ve varias ventanillas y va a la primera que está libre.

Señor Brown:	Me gustaría cambiar algún dinero inglés.
Empleado:	Lo siento, señor, aquí no. Vaya usted a la última ventanilla allí – la que tiene el letrero encima que dice 'Cambio'.
Señor Brown:	¡Oh! Perdón por la molestia. Adiós.
Empleado:	De nada, señor.

El señor Brown hace cola en la ventanilla apropiada. Después de un rato es su turno.

Empleado:	Buenos días, señor.
Señor Brown:	Buenos días. Quisiera cambiar algún dinero inglés por favor. Me gustaría saber cuántas pesetas dan ustedes por una libra esterlina.
Empleado:	Sí, señor. Damos ciento cuarenta y seis pesetas por la libra esterlina con el uno porciento de comisión.
Señor Brown:	Está bien. Quiero cambiar cheques de viajero por un valor de cuarenta libras, y un billete de diez libras.
Empleado:	Muy bien, señor. ¿Tiene usted su pasaporte?
Señor Brown:	Sí, aquí lo tiene.
Empleado:	Gracias. Firme usted los cheques de viajero por favor.
Señor Brown:	Muy bien. ¿Puedo emplear su bolígrafo?
Empleado:	Sí, cómo no.

El señor Brown firma los cuatro cheques de viajero. El empleado le observa.

Empleado: Gracias, señor. Compruebe la operación por favor.
Señor Brown: Muy bien. Cincuenta libras por ciento cuarenta y seis son siete mil tres cientas pesetas menos el uno porciento de comisión que es setenta y tres pesetas. Esto me da un total de siete mil dos cientas veintisiete. Sí, está correcto.
Empleado: Entonces, firme aquí, por favor.
Señor Brown: Muy bien.
Empleado: Aquí está su pasaporte. Ahora usted tiene que pasar a la caja. Su número es el veintitrés. Cuando llamen su número vaya a la ventanilla.
Señor Brown: Gracias, señor. Adiós.
Empleado: Adiós, señor.

El señor Brown va a esperar cerca de la caja. A los tres o cuatro minutos llaman el número veintitrés.

Empleado: ¿Es usted el señor Brown?
Señor Brown: Sí.
Empleado: Aquí está su dinero – siete billetes de mil pesetas, dos billetes de cien pesetas y una moneda de veinticinco pesetas y dos monedas de una peseta.
Señor Brown: Sí, está correcto. Muchas gracias, señor. Adiós.
Empleado: Adiós, señor.

B Pick out the Spanish for the following:

1 I would like to change
2 some English money
3 I'm sorry to bother you
4 Mr. Brown queues up
5 how many pesetas do you give to the pound
6 one per cent commission
7 £40 in travellers' cheques
8 a £10 note
9 sign the travellers' cheques
10 please check the figures
11 that's correct
12 go to the window

C Patterns

me gustaría quisiera	cambiar algún dinero ir al banco comprobar la operación saber cuántas pesetas dan por una libra

<table>
<tr><td rowspan="2">vaya usted</td><td>a la</td><td>primera
segunda
tercera</td><td>ventanilla</td></tr>
<tr><td colspan="3">a la caja</td></tr>
</table>

¿puede usted	comprobar la operación? firmar aquí? pasar a la caja?

firme	aquí este papel los cheques de viajero

damos 'x' pesetas	por la libra por el franco francés por el dólar americano

D Invent a conversation in a bank in which a lady wants to change £30 in notes into pesetas.

13 At the cinema

En el cine

A Dialogue

Hace mal tiempo. Felipe y Paco están en casa, aburridos.

Felipe:	¡Qué fastidio! No me gusta nada esta lluvia. No podemos hacer nada.
Paco:	Mira, ¿Por qué no vamos al cine?
Felipe:	¿Al cine? Buena idea. ¿Qué ponen hoy?
Paco:	A ver si Papá compró el periódico hoy. Sí, aquí está. Vamos a ver.
Felipe:	Sí, tengo ganas de ir al cine.
Paco:	En el Cine Apolo ponen una película del oeste, *Vivir es Luchar*. Me parece bastante buena. ¿Qué dices?
Felipe:	Ví una película del oeste hace una semana. ¿Qué otra cosa hay?
Paco:	Hay una película de ciencia ficción en el Cine Iris. Se llama *El Mundo Perdido*. Es una película norteamericana con subtítulos.
Felipe:	Bien, vamos a ver ésta. Me gustan mucho las películas de ciencia ficción. ¿A qué hora empieza la función?
Paco:	La función de la tarde empieza a las siete.
Felipe:	Ya son las seis menos cuarto. Tenemos bastante tiempo. ¿Tienes dinero?
Paco:	Sí, tengo bastante.

Una hora más tarde, en la taquilla del Cine Iris

Paco:	Buenas tardes, señorita. ¿Quedan entradas para esta función?
Empleada:	Sí, señor, quedan muchas. ¿Quieren ustedes localidades de butaca o anfiteatro?
Felipe:	Dos entradas de butaca por favor.
Empleada:	Son trescientas setenta pesetas, entonces, señores.
Paco:	Tenga, señorita, cuatrocientas pesetas.
Empleada:	Su vuelta, treinta pesetas.
Paco:	Gracias, señorita. Vamos, Felipe, la película va a empezar pronto.
Acomador:	Por aquí, señores – hay dos localidades en esta fila.
Felipe:	Gracias, señor. Y una propina para usted.
Acomador:	Gracias, señor.

B Pick out the Spanish for the following:

1 it's bad weather
2 bored
3 I hate this rain
4 why don't we go to the cinema
5 what's on today
6 let's see if Dad bought the paper today
7 I fancy going to the cinema
8 a week ago
9 what else is there?
10 an American film
11 with subtitles
12 what time does the showing start?
13 seats in the stalls or in the circle?
14 in this row
15 a tip for you

C Patterns

no me gusta nada	esta lluvia la película ese actor
no me gustan nada	las películas documentales las localidades de anfiteatro

me gusta mucho	el cine esa actriz
me gustan mucho las películas	del oeste de ciencia ficción de guerra románticas históricas animadas

es una película	española inglesa italiana norteamericana

¿a qué hora	empieza termina	la película? la función?

empieza termina	a las siete a las diez

ví una película hace	una semana cuatro días un mes

localidades	de butaca de anfiteatro

D Invent a conversation in which two friends discuss going to the cinema, and subsequently go there and buy tickets.

14 Going to a bullfight

Ir a una corrida de toros

A Dialogue

Pedro y Michael, su amigo inglés, están en la calle

Michael: ¿Por qué hay tanta gente cerca de esa tienda?

Pedro: Si es el despacho de billetes para los toros. Hay una corrida el domingo que viene y mucha gente quiere ir.

Michael: Nunca he visto una corrida de toros. ¿Por qué no vamos?

Pedro: Muy bien. El cartel parece interesante. Los tres toreros tienen muy buena fama.

Michael: Vamos a ver si quedan entradas.

En el despacho

Empleado: Buenos días, señores.

Pedro: Buenos días. ¿Quedan localidades para la corrida del domingo que viene?

Empleado: Sí, señor. ¿Desea usted sombra, sol y sombra, o sol?

Michael: ¿Qué precios tienen?

Empleado: Las entradas de sombra valen mil trescientas pesetas cada una, las de sol y sombra mil pesetas, y las de sol setecientas pesetas.

Pedro: Mira, Michael, las localidades de sol son más baratas que las otras, pero son muy incómodas. Allí hace mucho calor, y no se ve bien por el sol. Vamos a sol y sombra.

Michael: Sí, de acuerdo. Entonces dos de sol y sombra por favor, señor.

Empleado:	Dos mil pesetas. Tengan sus entradas. No olviden que la corrida empieza a las cinco en punto.
Michael:	Gracias, señor. Adiós.

El domingo siguiente en la entrada de la Plaza de Toros

Michael:	¡Cuánta gente! ¡No puede uno moverse!
Pedro:	Sí, pero vamos rápido. Ya son las cinco menos cinco.
Michael:	Un momento, quiero comprar un programa.
Pedro:	Mira, por lo general los venden en las graderías. Yo también quiero alquilar dos almohadillas porque las graderías son de cemento – muy duras e incómodas.
Michael:	Entonces vamos deprisa.
Pedro:	Sí, el paseíllo está para empezar.

B Pick out the Spanish for the following:

1 there's a bullfight
2 next Sunday
3 I have never seen a bullfight
4 are very well known
5 the shade tickets are 1300 pesetas each
6 it's very hot there
7 at 5 o'clock precisely
8 the following Sunday
9 so many people!
10 it's five to five
11 they usually sell them on the terraces
12 I want to hire two cushions
13 the parade is about to begin

C Patterns

el	domingo lunes martes viernes	que viene siguiente

nunca he visto	una corrida de toros una fiesta flamenca el Escorial

¿quedan	entradas para la corrida? almohadillas para alquilar? programas?

por lo general	se venden los programas en las graderías se alquilan las almohadillas en la entrada se empiezan las corridas a las cinco

D María and Elena are going to a bullfight. Invent conversations:
(1) as they buy their tickets
(2) as they go to their seats

15 At a post office

En correos

A Dialogue

El señor López va a la ventanilla que tiene encima el letrero TELEGRAMAS

Empleado:	Buenos días, señor.
Señor López:	Buenos días. Quisiera mandar un telegrama a Barcelona.
Empleado:	Muy bien, señor. Haga el favor de escribir su mensaje en este papel.
Señor López:	De acuerdo. Es muy corto – sólo nueve palabras.
Empleado:	Gracias, señor. A ver si está bien escrito. No, no hay problema. Una, dos, tres, . . . ocho, nueve palabras a quince pesetas la palabra. Son ciento treinta y cinco pesetas en total.
Señor López:	Y también, quiero comprar sellos.
Empleado:	Lo siento, señor. En esta ventanilla no se venden sellos. Vaya usted a una de las otras.
Señor López:	De acuerdo. Lo siento, pero no tengo sino un billete de mil pesetas.
Empleado:	No importa, señor. Aquí tiene ochocientas sesenta y cinco pesetas de vuelta.
Señor López:	¿A qué hora llegará el telegrama a Barcelona?
Empleado:	En dos horas.
Señor López:	Muchas gracias, señor. Adiós.
Empleado:	Adiós, señor.

En la otra ventanilla

Señor López: Buenos días, señorita. Quisiera comprar unos sellos. ¿Cuánto es para una carta a Inglaterra?
Empleada: Diecinueve pesetas, señor.
Señor López: Muy bien. Quisiera cinco sellos de diecinueve pesetas, por favor.
Empleada: Aquí los tiene.
Señor López: Y ¿cuánto es para una postal a Inglaterra?
Empleada: Doce pesetas, señor.
Señor López: Entonces deme siete sellos de doce pesetas.
Empleada: En total son ciento setenta y nueve pesetas.
Señor López: Aquí tiene doscientas. ¿Dónde está el buzón, por favor?
Empleada: El buzón está a la izquierda de la puerta principal. No olvide su vuelta, señor. Adiós.
Señor López: Muchas gracias, señorita. Adiós.

B Pick out the Spanish for the following:

1 I should like to send a telegram
2 kindly write the message
3 it's very short
4 fifteen pesetas a word
5 I've nothing other than a 1,000 peseta note
6 it doesn't matter
7 in two hours
8 I should like to buy some stamps
9 here you are
10 seven twelve-peseta stamps
11 in all
12 where's the post box?

C Patterns

quisiera me gustaría	cinco seis siete	sellos de	doce diecinueve veinticinco	pesetas

en	dos tres cuatro	horas

a la derecha de a la izquierda de cerca de	la puerta principal

¿cuánto es para una	carta postal	a	Inglaterra? Francia? España?

quisiera me gustaría	mandar un telegrama comprar unos sellos mandar una carta mandar una carta por avión mandar un paquete

D Invent a conversation in which Señora de Montero goes to a post office to post a parcel.

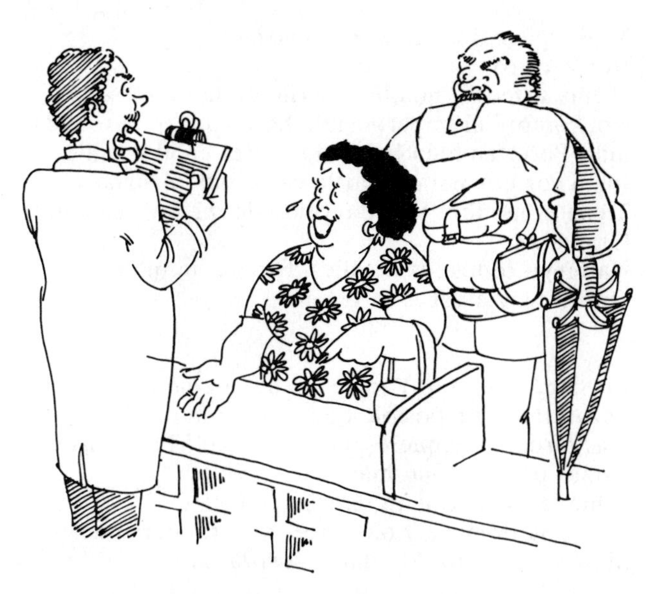

16 At the lost property office

En la oficina de objetos perdidos

A Dialogue

La señora de Jiménez entra en la oficina de objetos perdidos

Señora de Jiménez:	Buenos días, señor.
Empleado:	Buenos días, señora. ¿En qué puedo servirla?
Señora de Jiménez:	Esta mañana perdí mi impermeable. Creo que lo dejé en el autobús. Primero fui a la comisaría de policía y me mandaron aquí. Quisiera saber si alguien lo ha encontrado.
Empleado:	Vamos a ver, señora. ¿Un impermeable? ¿En qué autobús viajaba usted?
Señora de Jiménez:	Estaba en el autobús número cuarenta y tres. Subí en la Plaza Mayor y bajé al final de la Calle del Arenal. Dos minutos después de bajar del autobús me dí cuenta de que no tenía mi impermeable.
Empleado:	Y ¿a qué hora bajó usted del autobús?
Señora de Jiménez:	A eso de las diez y media.
Empleado:	Ahora, deme una descripción por favor. ¿De qué color era?
Señora de Jiménez:	Era blanco.
Empleado:	Y ¿tenía algunas señas distinctivas?
Señora de Jiménez:	Sí, dentro tenía una etiqueta que decía 'El Corte Inglés', y también había un pañuelo de seda en el bolsillo.

Empleado:	Y ¿de qué color era el pañuelo?
Señora de Jiménez:	Verde claro.
Empleado:	¿Tenía usted su nombre escrito en la etiqueta?
Señora de Jiménez:	No, compré el impermeable hace cuatro días, nada más. Pero también había una carta en el bolsillo. Iba a correos para echar la carta esta mañana. Tiene el nombre y la dirección de mi hermana en Granada.
Empleado:	Ya tengo todos los detalles. Espere un momento, señora, voy a ver si lo tenemos.

Después de un rato

Empleado:	Lo siento, señora. Parece ser que nadie lo ha encontrado. Es posible que alguien lo entregue más tarde. Hay que esperar un poco. ¿Puede usted llamar por teléfono mañana?
Señora de Jiménez:	¡Qué lástima! Bueno, gracias señor.
Empleado:	Deme su nombre y dirección, señora, por si acaso.
Señora de Jiménez:	Sí, por supuesto. Me llamo señora. . . .

En este momento llega una camioneta de la compañía de autobuses

Hombre:	Buenos días, aquí tengo varios artículos perdidos hoy en los autobuses.
Señora de Jiménez:	¿Tiene usted un impermeable?
Hombre:	Creo que sí. Sí, aquí está.
Señora de Jiménez:	¡Es mi impermeable! Sí, mire el pañuelo y la carta a mi hermana.
Empleado:	Sí, es su impermeable. Felicitaciones, señora. ¿Tiene que tener más cuidado en el futuro, verdad?
Señora de Jiménez:	Sí, muchas gracias, señores. Adiós.
Empleado y Hombre:	Adiós, señora.

B Pick out the Spanish for the following:

1 this morning
2 I lost
3 I left it
4 I went first to the police station
5 I would like to know whether anybody has found it
6 I was on the number 43 bus
7 I got on . . . got off
8 give me a description
9 what colour was it?
10 did it have any distinguishing marks?
11 I bought it four days ago
12 it has the name and address
13 nobody has found it
14 you have to wait a little
15 just in case
16 of course
17 various articles lost on the buses
18 I think so
19 look at the scarf
20 you must be more careful in future

C Patterns

esta mañana esta tarde anoche ayer la semana pasada el lunes pasado	perdí	mi impermeable mi abrigo mi maleta mi paraguas un paquete una cartera

hace	dos días tres horas cuatro semanas

fui	a la comisaría de policía a la estación a correos

estaba estábamos estaban	en el autobús

deme	una descripción todos los detalles su nombre y dirección su número de teléfono

había	un pañuelo una carta unas llaves	en el bolsillo

¿de qué color era?

el impermeable era	rojo verde negro blanco

la cartera era	negra marrón blanca

los paquetes eran	azules negros blancos rojos

D Invent a conversation in a lost property office in which a lady has lost a parcel containing a valuable book. The attendant asks for her name and address and suggests she telephones the next day.

17 Staying with a Spanish family

En la casa de una familia española

A Dialogue

Penny, una chica inglesa, acaba de llegar al aeropuerto, y va a pasar un mes en la casa de su amiga de correspondencia, Elena, en Madrid. Elena la está esperando con sus padres cerca de la salida de la aduana.

Elena:	¡Penny! ¡Penny! ¡Por aquí!
Penny:	¡Elena! ¡Hola! ¿Cómo estás?
Elena:	Bien gracias ¿y tú?
Penny:	Muy bien.
Elena:	Bienvenida a España.
Penny:	Muchas gracias.
Elena:	Mira, quiero presentarte a mis padres. Mamá, Papá, ésta es Penny.
Señora de Pérez:	Hola, Penny. Bienvenida.
Penny:	Gracias, señora. Estoy muy contenta de conocerla.
Señor Pérez:	Me alegro mucho de conocerte, Penny.
Penny:	Encantada.
Señor Pérez:	¿Qué tal el viaje Penny?
Penny:	Estupendo. Tardamos sólo dos horas.
Señora de Pérez:	Sin embargo, debes de estar cansada.
Penny:	Sí, un poco. Aquí hace mucho calor.
Elena:	Entonces, vamos a casa.
Señor Pérez:	Sí, dame tu maleta, Penny, y vamos al coche.
Señora de Pérez:	Y tus padres, Penny, ¿están bien?

Penny:	Si, muy bien, y les mandan saludos.
Señora de Pérez:	¡Qué bien! Vamos, el coche no está lejos.

Media hora más tarde llegan a la casa de la familia de Elena

Elena:	Pasa, Penny, ésta es mi casa.
Penny:	¡Qué bonita!
Elena:	Penny, te voy a presentar a mi abuela que vive con nosotros.
Abuela:	Buenas tardes; Penny. Bienvenida a nuestra casa.
Penny:	Gracias, señora, me alegro mucho de conocerla.
Señora de Pérez:	Elena, ¿Por qué no enseñas el cuarto a Penny ahora? Penny, vas a compartirlo con Elena.
Penny:	¡Qué bien!
Elena:	Sí, vamos. ¿Quieres lavarte un poco?
Penny:	Sí, por favor.
Elena:	Entonces, voy a enseñarte el cuarto de baño y voy a darte una toalla limpia.
Penny:	Espera un momento Elena. Tengo unos regalos para ustedes. Unos caramelos para usted, señora.
Señora:	¡Penny! ¡Qué bien! Muchísimas gracias.
Penny:	Y un libro de fotos de Londres para usted, señor.
Señor:	Penny, ¡Qué bonito! Estoy muy agradecido.
Penny:	Y para ti, Elena, un disco.
Elena:	¡Ay!, ¡qué estupendo! Vamos a ponerlo ahora.
Señora de Pérez:	Ahora no, lleva a Penny a su cuarto.
Elena:	Penny, gracias por el disco.
Penny:	De nada.

B Pick out the Spanish for the following:

1 this way
2 welcome to Spain
3 I want to introduce you to my parents
4 I'm very pleased to meet you
5 how was the journey?
6 you must be tired
7 it's very hot here
8 let's go home
9 they send their regards to you
10 this is my home
11 you're going to share it with Elena
12 do you want to have a wash?
13 wait a minute
14 for you
15 how nice
16 I'm very grateful
17 thanks for the record

C Patterns

me alegro nos alegramos	de	verla conocerte estar aquí
estoy muy contento estamos muy contentos		

para	mí ti usted ustedes

¡qué	bien! precioso! estupendo!

bienvenido bienvenida	a	España mi casa

quiero	presentarte presentarle presentarla	a	mis padres mi abuela mi hermano

D(1) A Spanish boy is meeting his English pen-friend at the station. Invent the conversation between them.

(2) Invent a conversation in which introductions are made to the rest of the family.

18 A car breakdown

Una avería de coche

A Dialogue

El señor Martínez para su coche en una estación de servicio en la carretera principal

Empleado: Buenos días, señor. ¿Qué desea usted?
Señor Martínez: Quiero veinte litros de gasolina, por favor.
Empleado: ¿Súper o corriente?
Señor Martínez: Súper, por favor.
Empleado: Sí señor . . . Ya – veinte litros, señor. ¿Algo más?
Señor Martínez: Sí. Haga el favor de comprobar el aceite.
Empleado: Sí, señor . . . Le hace falta medio litro.
Señor Martínez: De acuerdo. ¿Quiere usted comprobar los neumáticos y el agua también?

Después de unos momentos

Empleado: He comprobado los neumáticos. Había que poner aire en uno de los delanteros. El agua está bien.
Señor Martínez: Gracias. ¿Cuánto le debo?
Empleado: Ochocientas setenta pesetas, señor.
Señor Martínez: Tenga, novecientas, y quédese con la vuelta.
Empleado: Gracias, señor. Déjeme limpiar el parabrisas.
Señor Martínez: Gracias. Adiós.
Empleado: Adiós, señor. Buen viaje.

El señor Martínez sube al coche, trata de arrancar el motor, pero nada. El coche está averiado.

Empleado: ¿Qué pasa, señor?
Señor Martínez: No sé – el motor no arranca. ¿Puede usted hacer algo?
Empleado: Lo siento, señor. Yo no soy mecánico, pero puedo llamar por teléfono a un taller de mecánica a ver si pueden mandar a alguien.
Señor Martínez: Gracias. Tengo prisa porque tengo que estar en Madrid dentro de tres horas.

A los tres minutos

Empleado: Un mecánico estará aquí dentro de media hora, señor.
Señor Martínez: Muchas gracias. Voy a tomar un refresco en la cafetería de enfrente.
Empleado: Muy bien.

Después de media hora el señor está sentado en la terraza de la cafetería cuando ve llegar al mecánico. Después de pagar el refresco.

Mecánico: Buenos días, señor. ¿Su coche está averiado?
Señor Martínez: Sí. El motor no arranca.
Mecánico: Bueno. ¿Tiene gasolina, verdad?
Señor Martínez: Sí, tiene el depósito lleno.
Mecánico: Entonces, vamos a ver.

El mecánico trabaja unos minutos

Mecánico: Ah sí, señor. Hay una pieza rota en el distribuidor. No es nada serio. Hay que poner pieza nueva.
Señor Martínez: ¿Tardará mucho tiempo en repararlo?
Mecánico: No, señor. Veinte minutos para buscar la pieza, y diez minutos para cambiarla.
Señor Martínez: Tengo prisa porque tengo que estar en Madrid antes de las seis.
Mecánico: No se preocupe, señor. Si usted vuelve dentro de media hora, todo estará arreglado.
Señor Martínez: Hasta luego, entonces.

Después de media hora el señor Martínez vuelve

Mecánico: Ya. Terminado.
Señor Martínez: Muy bien. Muchas gracias.
Mecánico: Vamos a ver si arranca el coche. ¡Sí! Estupendo. Ya está, señor, como nuevo.
Señor Martínez: Muchas gracias. ¿Cuánto le debo?
Mecánico: Bueno. Ciento cuarenta pesetas por la pieza y mil quinientas pesetas por el trabajo. Mil seiscientas cuarenta pesetas en total.
Señor Martínez: Tenga, señor, y muchas gracias.
Mecánico: De nada, señor. Buen viaje. Adiós.
Señor Martínez: Gracias. Adiós.

B Pick out the Spanish for the following:

1 I want twenty litres of petrol
2 is that all?
3 please check the oil
4 you need half a litre
5 it was necessary to put air in one of the front tyres
6 keep the change
7 let me clean the windscreen
8 tries to start the engine
9 in three hours
10 is your car broken down?
11 it's got a full tank
12 there's a broken part
13 it's nothing serious
14 will you take a lot of time?
15 before six o'clock
16 it will be all fixed
17 good as new
18 have a good journey

C Patterns

quiero	veinte quince diez	litros de gasolina

quiere usted haga el favor de	comprobar	el aceite los neumáticos el agua

me le	hace falta	un litro medio litro mucho tiempo media hora

he ha	comprobado	los neumáticos el aceite
	lavado	el parabrisas las ventanillas el coche

había que	poner aire en ese neumático comprar otra pieza reparar el coche

parar arrancar	el motor

tengo que estar en Madrid un mecánico estará aquí	dentro de tres horas dentro de media hora antes de la seis

D(1) A lady arrives at a petrol station. Invent the conversation she has with the attendant, in which she asks for some petrol and for certain checks to be made on her car.

(2) A man arrives at a garage and explains that his car has broken down. He asks for some help.

19 Going to the doctor

Ir al médico

A Dialogue

La señora de Páez llama por teléfono

Voz:	Dígame.
Señora de Páez:	¿Es el consultorio del doctor Gómez?
Voz:	Sí.
Señora de Páez:	Mi hijo está enfermo.
Voz:	Lo siento, señora. ¿Qué le pasa?
Señora de Páez:	Se despertó esta mañana con fiebre. Tenía dolor de cabeza y de estómago. ¿Puede usted darme hora para la visita?
Voz:	Sí, señora. ¿Hoy por la mañana, a las doce menos cuarto?
Señora de Páez:	Está muy bien. Entonces, hasta luego.
Voz:	Hasta luego, señora.

A las doce menos diez en el consultorio del médico

Médico:	Buenos días, señora.
Señora de Páez:	Buenos días, doctor. Aquí está Juan.
Médico:	Bueno, ¿qué le pasa?
Señora de Páez:	Como dije por teléfono, tiene dolor de cabeza y de estómago, y creo que tiene fiebre.

El médico examina a Juan

Médico:	Sí, tiene un poco de fiebre. Juan ¿cuántos anos tienes?

Juan: Tengo doce anos.

Médico: ¿Te duele mucho el estómago?

Juan: Sí, me duele bastante.

Médico: ¿Qué comiste ayer?

Juan: Comí lo mismo que toda la familia.

Médico: ¿Tomaste agua no potable, o comiste fruta sin lavar?

Juan: No, creo que no . . . ah sí, comí unas uvas en el mercado.

Médico: Bueno, a lo mejor es eso. No es nada serio. Será mejor guardar cama hasta que termine la fiebre.

Señora de Páez: De acuerdo, doctor.

Médico: Y le voy a dar una receta para unas pastillas. Hay que tomar una tres veces al día antes de comer. Dentro de dos días estará como nuevo.

Señora de Páez: Una cosa más, doctor. Hace una semana me corté el dedo con un cuchillo. No era nada serio, pero hace dos días que me duele mucho.

Médico: A ver, señora. Sí, usted tiene una infección en el dedo. Tiene suerte, porque puede ser serio. Le voy a dar una receta para unas pastillas y una crema. Hay que tomar dos pastillas cada tres horas. Si no mejora dentro de tres días, vuelva a verme.

Señora de Páez: Gracias, doctor. ¿Cuánto le debo?

Médico: Me debe mil quinientas pesetas.

Señora de Páez: Tenga, doctor. ¿Puede darme un recibo?

Médico: Claro que sí. Tenga, señora. Adiós, Juan. Que mejores pronto.

Juan: Gracias, doctor. Adiós.

Señora de Páez: Adiós, doctor.

B Pick out the Spanish for the following:

1 my son is ill
2 what's the matter with him
3 he woke up this morning
4 he had a headache
5 can you give me an appointment?
6 he has a slight temperature
7 how old are you?
8 I am twelve years old
9 what did you eat yesterday?
10 unwashed fruit
11 that's probably it
12 it's nothing serious
13 a prescription for some tablets
14 three times a day before meals
15 I cut my finger
16 it wasn't anything serious
17 it has been hurting me for two days
18 come back to see me
19 how much do I owe you?
20 can I have a receipt.

C Patterns

tengo tiene tenía	dolor	de cabeza de estómago

me le	duele	la cabeza el dedo el oído la pierna

me le	duelen	los pies los ojos los riñones

me corté se cortó	el dedo la mano el pie el brazo	con	un cuchillo una lata

me rompí se rompió	la pierna el brazo el dedo

me quemé se quemó	la mano el dedo el pie

creo que tiene	fiebre la gripe un resfriado

me siento se siente	malo enfermo cansado débil

dos tres cuatro	veces	al día a la semana

cada	dos tres cuatro	horas

D(1) Invent a conversation in a doctor's waiting room. Two ladies are discussing their ailments.

(2) Invent the conversation when one of them sees the doctor.

Language Patterns